C000017457

Corps humain

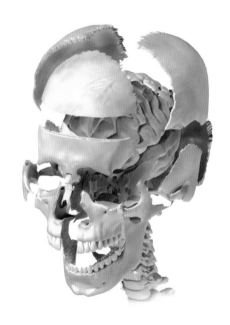

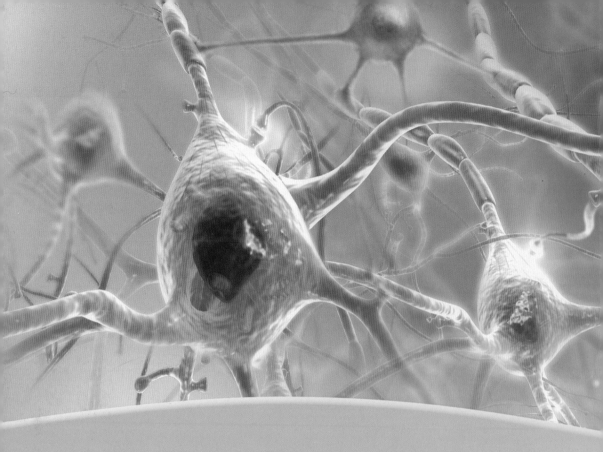

EDUCATION™

UN LIVRE WELDON OWEN

© 2011 Discovery Communications, LLC.
Discovery Education™
et le logo **Discovery Education**
sont des marques déposées de Discovery
Communications, LLC, utilisées sous
licence.
Tous droits réservés.

Conçu et réalisé par
Weldon Owen Pty Ltd
59-61 Victoria Street, McMahons Point
Sydney NSW 2060, Australie

Édition originale parue sous le titre
Body Basics
Copyright © 2011 Weldon Owen Pty Ltd

**POUR L'ÉDITION ORIGINALE
WELDON OWEN PTY LTD**
Direction générale Kay Scarlett
Direction de la création Sue Burk
Direction éditoriale Helen Bateman
Vice-président des droits étrangers
Stuart Laurence
**Vice-président des droits Amérique
du Nord** Ellen Towell
**Direction administrative des droits
étrangers** Kristine Ravn
Éditeur Madeleine Jennings
Secrétaires d'édition Barbara McClenahan,
Bronwyn Sweeney, Shan Wolody
Assistante éditoriale Natalie Ryan
Direction artistique Michelle Cutler,
Kathryn Morgan
Maquettiste Stephanie Tang
Responsable des illustrations
Trucie Henderson
Iconographe Tracey Gibson
Directeur de la fabrication
Todd Rechner
Fabrication Linda Benton et Mike
Crowton
Conseiller George McKay

POUR L'ÉDITION FRANÇAISE
Responsable éditorial Thomas Dartige
Édition Éric Pierrat et Jessica Mautref
Couverture Marguerite Courtieu
Photogravure de couverture Scan+
Réalisation de l'édition française
ML ÉDITIONS, Paris,
sous la direction de Michel Langrognet
Traduction Manuel Boghossian
Édition et PAO Anne Papazoglou-
Obermeister et Giulia Valmachino
Correction Christiane Keukens-Poirier

ISBN : 978-2-07-064143-7
Copyright © 2012 Gallimard Jeunesse,
Paris
Dépôt légal : janvier 2012
N° d'édition : 183599
Loi n° 49-956 du 16 juillet 1949
sur les publications destinées
à la jeunesse.

Ne peut être vendu au Canada

Imprimé et relié en Chine
par 1010 Printing Int Ltd.

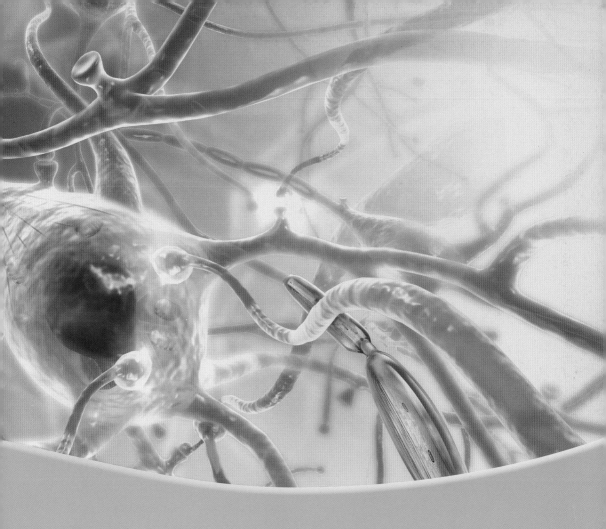

Corps humain

Robert Coupe

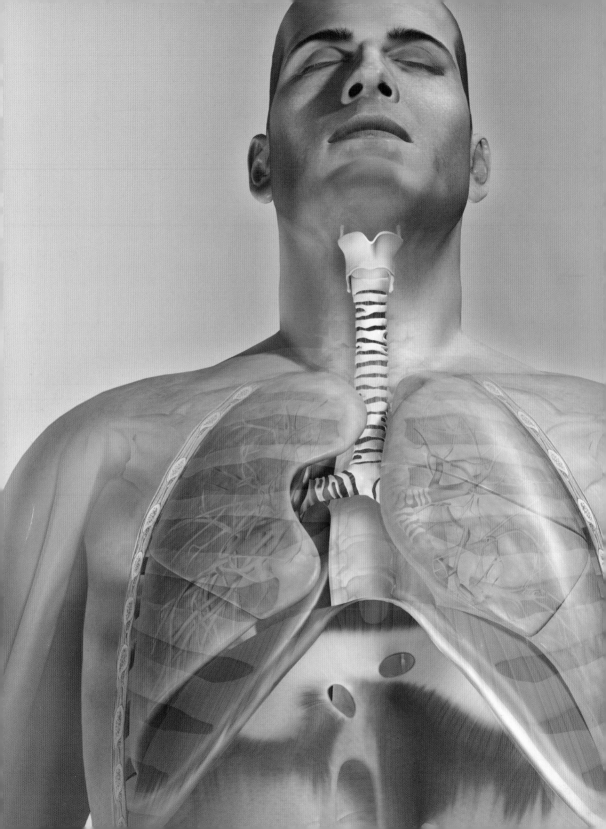

Sommaire

Cellules

Tous les êtres vivants sont constitués d'au moins une cellule. Le corps humain en compte environ 100 millions de 200 types différents, qui travaillent sans relâche telles des petites usines fonctionnant en continu. Chaque type de cellule a une fonction spécifique, mais toutes coopèrent les unes avec les autres pour assurer le fonctionnement optimal de l'organisme.

ADN
L'acide désoxyribonucléique, présent dans le noyau des cellules, contrôle leur formation et leur fonctionnement.

LA DIVERSITÉ CELLULAIRE

Toutes les cellules n'ont pas la même forme ni la même taille. Chaque type de cellule contrôle le fonctionnement des différents organes.

Cellules musculaires lisses
Elles permettent les mouvements des organes creux.

Globules blancs
Cellules du sang qui aident à combattre les microbes.

Chromosomes X et Y
Les chromosomes sont composés d'ADN et déterminent le sexe d'un individu, femelle si les cellules possèdent deux chromosomes en forme de X, mâle si elles ont un chromosome X et un chromosome Y.

Neurones
Cellules nerveuses permettant de réagir à la douleur, au froid, au chaud...

Spermatozoïdes
Cellules sexuelles mâles chez l'homme et les animaux

Incroyable !
Les cellules âgées meurent et sont remplacées par de nouvelles à raison de plus de 50 millions toutes les minutes.

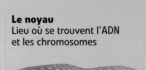

Le noyau
Lieu où se trouvent l'ADN
et les chromosomes

La membrane cellulaire
Enveloppe extérieure
de la cellule

À l'intérieur d'une cellule

Chaque cellule comprend plusieurs
éléments dont une enveloppe ou
membrane cellulaire et un noyau,
qui renferme l'ADN, substance
dont dépendent la forme, la taille
et le rôle de la cellule.

Os et articulations

L es os sont durs et robustes. Ensemble ils forment le squelette. Sans cette charpente, notre corps serait mou et nous ne pourrions rester ni debout ni assis, encore moins nous déplacer. La taille et la situation des différents os donnent au corps sa forme générale.

ARTICULATIONS

Les os ne se plient pas, mais sont reliés par des articulations qui leur permettent de bouger à des degrés divers et de différentes façons.

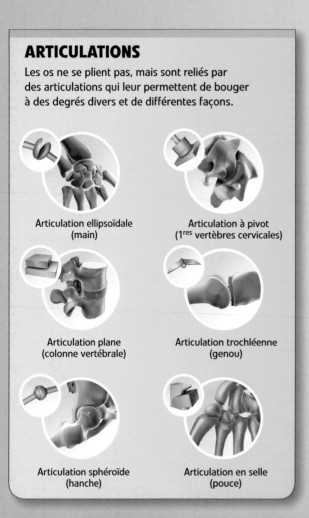

Articulation ellipsoïdale
(main)

Articulation à pivot
(1res vertèbres cervicales)

Articulation plane
(colonne vertébrale)

Articulation trochléenne
(genou)

Articulation sphéroïde
(hanche)

Articulation en selle
(pouce)

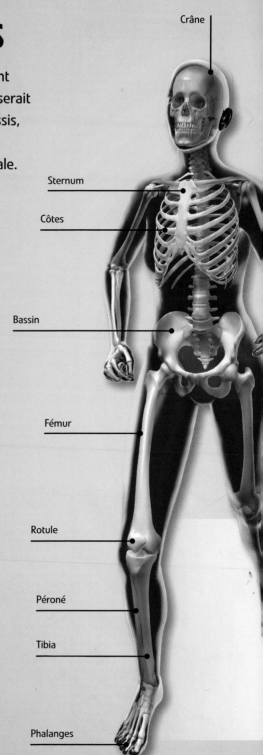

Crâne

Sternum

Côtes

Bassin

Fémur

Rotule

Péroné

Tibia

Phalanges

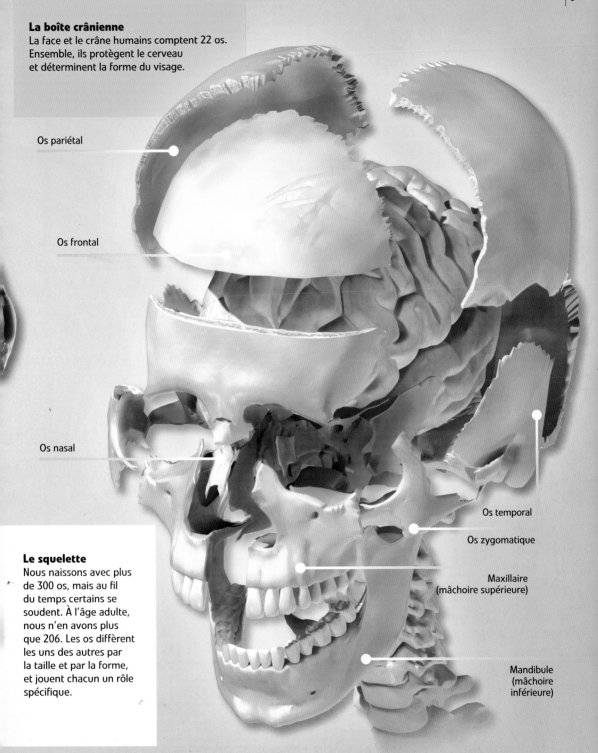

La boîte crânienne

La face et le crâne humains comptent 22 os.
Ensemble, ils protègent le cerveau
et déterminent la forme du visage.

Os pariétal

Os frontal

Os nasal

Os temporal

Os zygomatique

Maxillaire
(mâchoire supérieure)

Mandibule
(mâchoire
inférieure)

Le squelette

Nous naissons avec plus
de 300 os, mais au fil
du temps certains se
soudent. À l'âge adulte,
nous n'en avons plus
que 206. Les os diffèrent
les uns des autres par
la taille et par la forme,
et jouent chacun un rôle
spécifique.

Système musculaire

Chaque fois que nous bougeons ou que quelque chose bouge en nous, des muscles sont mis en œuvre. Ce sont eux qui nous permettent de courir, marcher, sauter, cligner de l'œil, chanter, manger, digérer et même respirer. Beaucoup sont autonomes et n'obéissent pas à la volonté. Tous les autres, appelés muscles squelettiques, sont attachés aux os.

Élévateurs et abaisseurs
Certains muscles de la face tirent vers le haut. On les appelle muscles élévateurs. D'autres tirent vers le bas. Ce sont les abaisseurs.

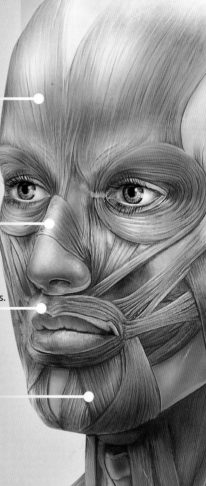

Muscle frontal
Tire vers le bas lorsqu'on fronce les sourcils.

Pyramidal du nez
Abaisse le bout du nez.

Orbiculaire des lèvres
Fait bouger les lèvres.

Triangulaire des lèvres
Tire la bouche vers le bas et le côté.

LES MIMIQUES

Notre visage compte plus de 50 muscles qui, tels des élastiques, s'étirent et se contractent quand nous sourions, fronçons les sourcils ou faisons la moue.

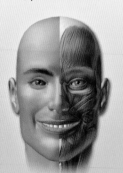

Sourire
12 muscles faciaux interviennent dans l'élévation des lèvres.

Froncer les sourcils
Coaction de 11 muscles abaissant les lèvres et faisant se rapprocher les sourcils.

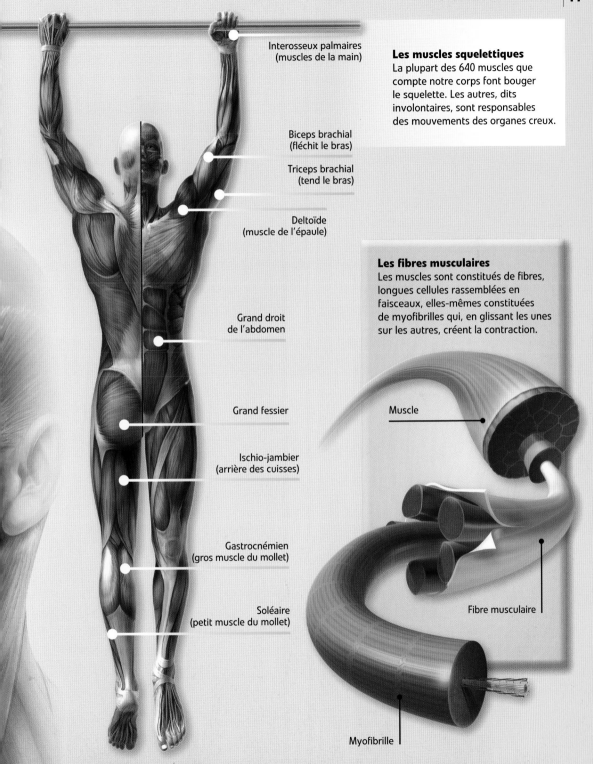

Interosseux palmaires
(muscles de la main)

Les muscles squelettiques
La plupart des 640 muscles que
compte notre corps font bouger
le squelette. Les autres, dits
involontaires, sont responsables
des mouvements des organes creux.

Biceps brachial
(fléchit le bras)

Triceps brachial
(tend le bras)

Deltoïde
(muscle de l'épaule)

Les fibres musculaires
Les muscles sont constitués de fibres,
longues cellules rassemblées en
faisceaux, elles-mêmes constituées
de myofibrilles qui, en glissant les unes
sur les autres, créent la contraction.

Grand droit
de l'abdomen

Grand fessier

Muscle

Ischio-jambier
(arrière des cuisses)

Gastrocnémien
(gros muscle du mollet)

Fibre musculaire

Soléaire
(petit muscle du mollet)

Myofibrille

Circulation sanguine

Quand nous inspirons, de l'oxygène entre dans nos poumons puis dans le sang. Celui-ci est propulsé par le cœur dans tout le corps grâce à un réseau de vaisseaux. Pour bien fonctionner, nos cellules doivent être constamment oxygénées. Le sang qui circule dans notre corps nous aide aussi à conserver une température constante et transporte des globules blancs, qui combattent les germes.

Les artères
Les gros vaisseaux qui vont du cœur jusque dans les parties les plus éloignées sont appelés artères. Leur paroi est épaisse.

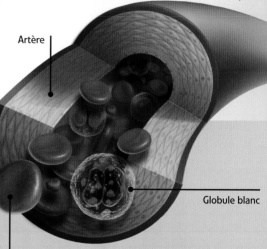

Paroi artérielle épaisse

Artère

Globule blanc

Globule rouge

LA POMPE CARDIAQUE

Le sang entre dans le cœur et en sort par des chambres appelées ventricules et oreillettes. Il pénètre par l'oreillette droite, passe dans le ventricule droit, d'où il est envoyé dans les poumons pour se charger en oxygène, puis il passe dans l'oreillette gauche et le ventricule gauche qui le propulse par les artères dans tout le corps.

Oreillette gauche

Oreillette droite

Ventricule gauche

Ventricule droit

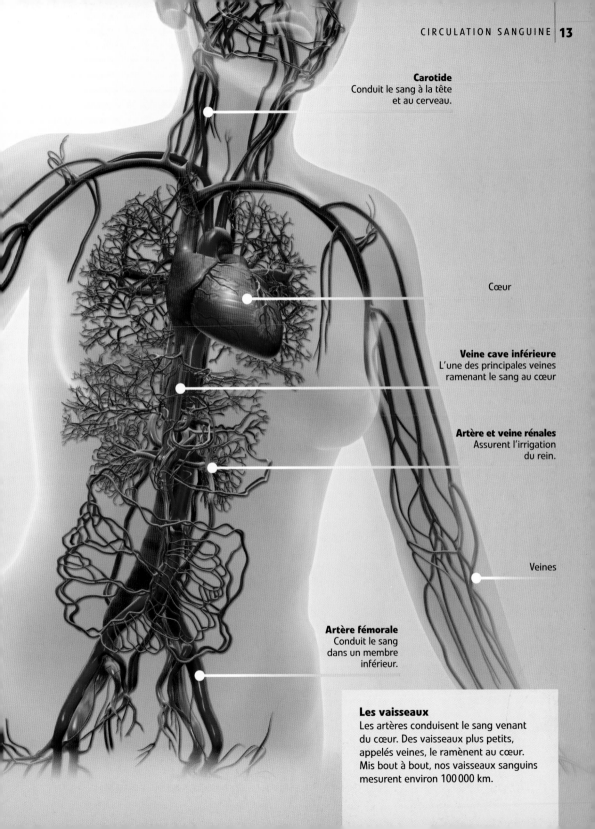

Carotide
Conduit le sang à la tête
et au cerveau.

Cœur

Veine cave inférieure
L'une des principales veines
ramenant le sang au cœur

Artère et veine rénales
Assurent l'irrigation
du rein.

Veines

Artère fémorale
Conduit le sang
dans un membre
inférieur.

Les vaisseaux
Les artères conduisent le sang venant
du cœur. Des vaisseaux plus petits,
appelés veines, le ramènent au cœur.
Mis bout à bout, nos vaisseaux sanguins
mesurent environ 100 000 km.

Respiration

L a respiration, fonction vitale, se fait de manière inconsciente. L'inspiration, moment pendant lequel l'air pénètre dans les poumons, permet d'oxygéner les cellules. L'oxygène passe dans le sang et est propulsé ainsi dans tout le corps. L'expiration, qui consiste à expulser l'air des poumons, permet d'éliminer le gaz carbonique produit par les cellules.

Bouche

Bronche souche
Gros conduit partant de la trachée, par lequel l'air pénètre dans le poumon.

Poumon droit

LE MUSCLE RESPIRATOIRE

Quand nous inspirons, le diaphragme se contracte et étire les poumons vers le bas et l'avant, créant un appel d'air. Quand nous expirons, il se relâche et les poumons retrouvent leurs dimensions initiales. L'air est expulsé.

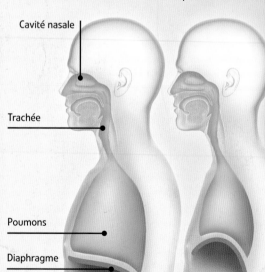

Cavité nasale

Trachée

Poumons

Diaphragme

Inspiration **Expiration**

Nez

Trachée
Conduit amenant l'air
inspiré jusqu'aux
bronches

Bronchioles
Petites ramifications
partant des bronches

Poumon gauche

Les alvéoles pulmonaires
Chaque poumon contient environ 300 millions
de petites poches d'air, appelées alvéoles, où ont
lieu les échanges entre oxygène et gaz carbonique.

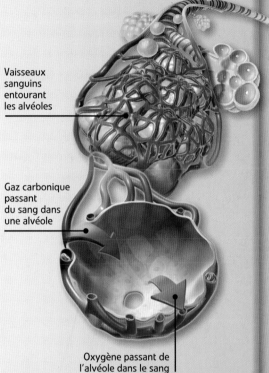

Vaisseaux
sanguins
entourant
les alvéoles

Gaz carbonique
passant
du sang dans
une alvéole

Oxygène passant de
l'alvéole dans le sang

Les poumons

Le poumon est un organe spongieux
situé dans le thorax. Il se compose
de quelques gros tuyaux appelés
bronches et de millions de tuyaux
plus petits appelés bronchioles.

Appareil digestif

L es aliments apportent à notre corps l'énergie dont il a besoin pour fonctionner. Après avoir séjourné dans l'estomac, où ils sont transformés en une masse liquide crémeuse, ils passent dans un long tube appelé intestin. Les nutriments et l'eau qu'ils contiennent y sont absorbés et pénètrent dans le sang. Le reste migre en direction du rectum pour être finalement expulsé sous forme de fèces.

LE GROS ET LE GRÊLE

Après leur séjour dans l'estomac, les aliments pénètrent dans l'intestin grêle et, de là, dans le gros intestin. L'intestin grêle est beaucoup plus étroit que le gros intestin, mais quatre fois plus long.

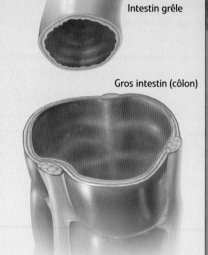

Intestin grêle

Gros intestin (côlon)

Paroi de l'estomac

Muqueuse gastrique
L'intérieur de l'estomac se plisse lorsqu'il est vide.

Un transformateur d'aliments

L'estomac est un sac dont la paroi musculeuse se contracte et se dilate. Les aliments y sont soumis à un brassage intense et à l'action du suc gastrique.

Début de l'intestin

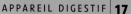

Bouche

Œsophage

Sphincter pylorique

Intestin grêle

Début du côlon
(partie du gros
intestin)

Côlon

Rectum

Un long voyage

Les aliments peuvent mettre
plusieurs jours à parcourir le tube
digestif d'un bout à l'autre.

1 minute
Dans la bouche, les aliments
sont réduits en petits morceaux
et mêlés à la salive.

2–3 secondes
Le mélange aliments-salive passe
dans l'estomac via l'œsophage.

2–4 heures
Acides et mouvements de la paroi
transforment le mélange en une
substance quasi liquide : le chyme.

3–5 heures
Les nutriments et l'eau sont en grande
partie absorbés par la paroi de l'intestin
grêle et passent dans le sang.

De 10 heures à plusieurs jours
L'eau et les nutriments restants
sont absorbés par la paroi du côlon.
Le reste sera ensuite expulsé.

Immunité

L a peau et les poils forment une barrière contre les bactéries et les germes nocifs qui pourraient pénétrer dans notre corps et provoquer des maladies. Quand l'un de ces agents parvient à entrer dans le sang, l'organisme dispose d'autres moyens de défense, comme les globules blancs, éléments clés du système immunitaire.

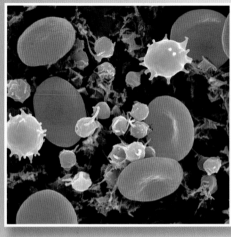

Les globules blancs
La plupart des cellules sanguines sont rouges. Les globules blancs, bien que moins nombreux, sont ceux qui nous protègent contre les maladies.

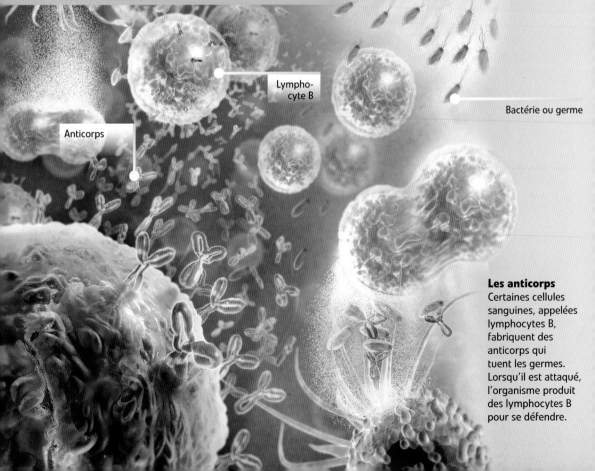

Lympho-cyte B

Bactérie ou germe

Anticorps

Les anticorps
Certaines cellules sanguines, appelées lymphocytes B, fabriquent des anticorps qui tuent les germes. Lorsqu'il est attaqué, l'organisme produit des lymphocytes B pour se défendre.

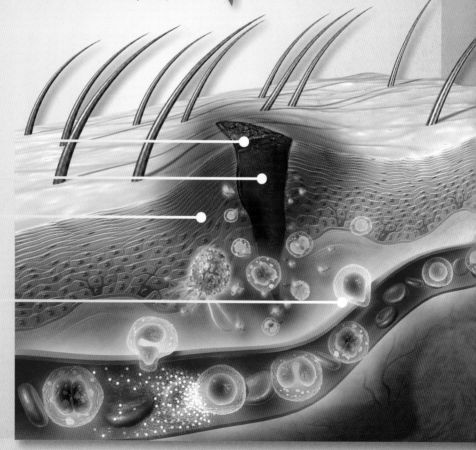

En cas de blessure

La peau est la première ligne de défense du corps. En cas de coupure ou de contusion, le système immunitaire entre en action pour réparer les tissus lésés. Les globules blancs affluent sur le site afin d'intercepter et de tuer les germes.

Poil

Vaisseau sanguin

Germes pénétrant dans le sang

Éclat de verre transperçant la peau

Formation d'une croûte en surface

Formation d'un caillot

Inflammation du tissu voisin

Globules blancs

Centre de commande

L e cerveau est l'organe qui, via les nerfs, reçoit toutes les informations et donne tous les ordres. Il nous permet de voir, d'entendre, de goûter, de sentir et d'éprouver des émotions, mais aussi de penser, de nous souvenir et de travailler. Il nous dit quand nous avons faim, soif ou sommeil.

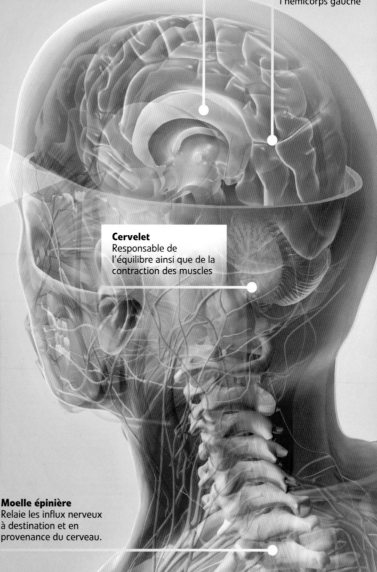

Corps calleux
Assure l'interface entre les deux hémisphères cérébraux.

Hémisphère droit
Partie du cerveau commandant les mouvements de l'hémicorps gauche

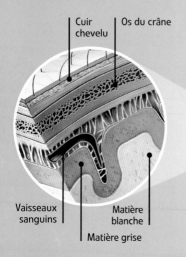

Cuir chevelu

Os du crâne

Vaisseaux sanguins

Matière blanche

Matière grise

Cervelet
Responsable de l'équilibre ainsi que de la contraction des muscles

Protection
Le cerveau comporte deux sortes de matières : grise et blanche. La matière grise, située vers l'extérieur, est souple et forme des plis épais.

Moelle épinière
Relaie les influx nerveux à destination et en provenance du cerveau.

Composition du cerveau

Le cerveau ou encéphale comprend trois parties : le cerveau proprement dit, subdivisé en deux hémisphères, le cervelet, responsable des mouvements du corps, et le tronc cérébral, responsable de la respiration et des autres fonctions automatiques.

Thalamus
Où transitent les signaux allant du corps au cerveau.

Hippocampe
Contrôle la mémoire, les sentiments et les émotions.

Bulbe rachidien
Partie du tronc cérébral responsable des mouvements inconscients

Nerf facial
Commande la plupart des muscles de la face.

Tronc cérébral
Relie le cerveau à la moelle épinière, d'où partent les nerfs.

TRANSMISSION DES MESSAGES

Ces lignes jaunes figurent les nerfs, longues fibres à l'intérieur desquelles des messages font la navette entre la moelle épinière et les différentes parties du corps. Certains nerfs sont indépendants, tandis que d'autres forment des groupes.

Cerveau

Moelle épinière

Plexus lombaire

Plexus sacré

Neurones

Les nerfs sont une suite de cellules nerveuses – les neurones – séparées par des petits espaces – les synapses. Ces cellules se composent d'un long bras – l'axone –, qui reçoit les influx, d'une partie centrale – le soma – et de prolongements – les dendrites.

Axone

Système nerveux

L e cerveau communique continuellement avec le reste du corps dont il reçoit des informations et auquel il donne des ordres. Les messages, transmis via les nerfs – sortes de longs fils électriques –, transitent par la moelle épinière et le tronc cérébral. Ensemble, le cerveau, la moelle épinière et les nerfs forment le système nerveux.

Incroyable !

La vitesse de transmission des influx nerveux peut atteindre 90 mètres par seconde !

Synapse

Axone

Soma

Dendrite

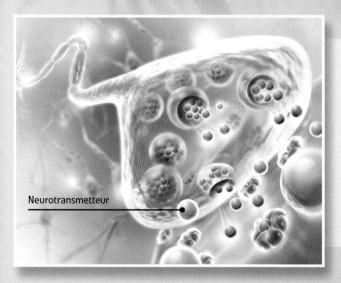

Neurotransmetteur

Neurone en action

L'envoi d'un message déclenche successivement dans chacun des neurones dont se compose le nerf l'activation de neurotransmetteurs, substances permettant aux signaux de voyager à l'intérieur du neurone et de franchir les synapses.

Cinq sens

Nous sommes dotés de cinq sens qui nous permettent de percevoir le monde qui nous entoure : l'odorat, le goût, le toucher, l'ouïe et la vue. Les deux derniers sont probablement les plus sollicités dans la vie de tous les jours.

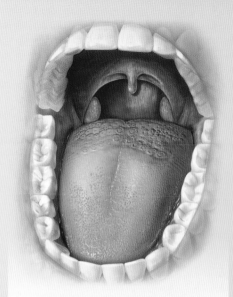

Le goût
Le dessus de la langue comporte plus de 8 000 bourgeons gustatifs. Le cerveau reconnaît cinq saveurs principales : le salé, l'amer, l'acide, le sucré et l'umami.

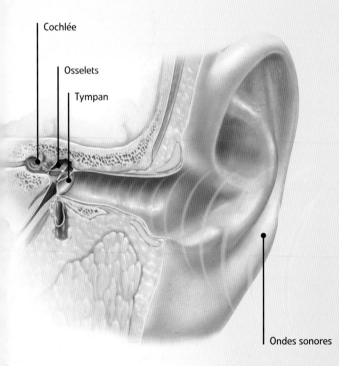

Cochlée

Osselets

Tympan

Ondes sonores

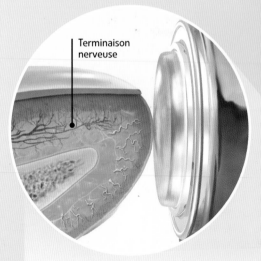

Terminaison nerveuse

L'ouïe
Les ondes sonores font vibrer le tympan. Les vibrations se communiquent aux petits os situés derrière, puis à la cochlée, d'où le message est envoyé au cerveau par le nerf auditif.

Le toucher
Dès que nous touchons quelque chose, des terminaisons nerveuses à fleur de peau nous disent si c'est chaud ou froid, rugueux ou mou, piquant…

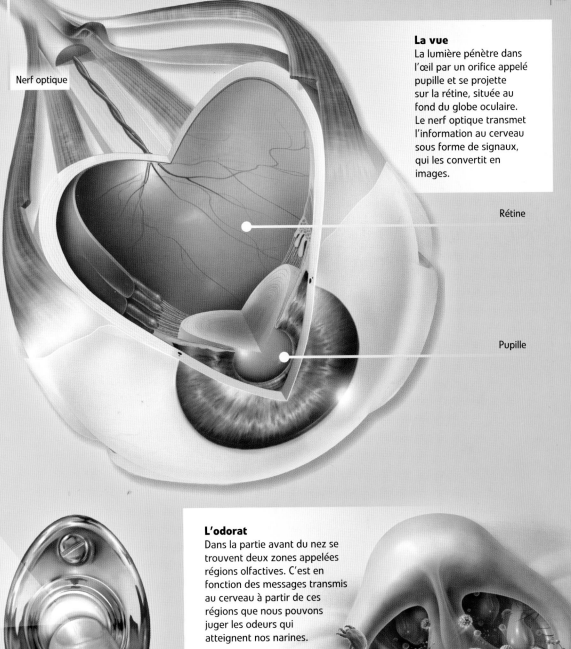

Nerf optique

La vue
La lumière pénètre dans l'œil par un orifice appelé pupille et se projette sur la rétine, située au fond du globe oculaire. Le nerf optique transmet l'information au cerveau sous forme de signaux, qui les convertit en images.

Rétine

Pupille

L'odorat
Dans la partie avant du nez se trouvent deux zones appelées régions olfactives. C'est en fonction des messages transmis au cerveau à partir de ces régions que nous pouvons juger les odeurs qui atteignent nos narines.

Âges de la vie

L e petit de l'homme, comme celui des mammifères en général, commence son développement dans le ventre de sa mère. Cela dure environ neuf mois, après quoi l'enfant peut affronter le monde extérieur, où il continue à se développer jusqu'à devenir totalement autonome.

Deux semaines
L'embryon est un disque à l'intérieur d'une vésicule.

Quatre semaines
Le cœur bat et le sang circule.

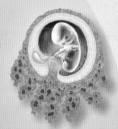

Six semaines
L'embryon a grandi ; les yeux et les oreilles commencent à apparaître.

Huit semaines
Les principaux organes se développent. Le cordon ombilical relie l'embryon au sang de sa mère.

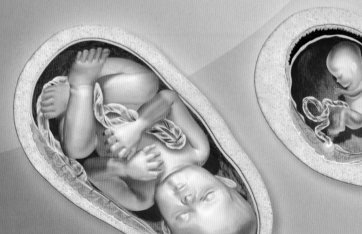

Douze semaines
Le fœtus, ainsi qu'on appelle désormais l'embryon, mesure maintenant 6 cm.

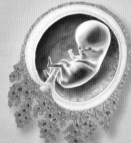

38 semaines
Les organes du fœtus sont maintenant fonctionnels. Le bébé peut naître.

Développement intra-utérin

Durant les premiers mois, les organes et les membres se développent jusqu'à former un bébé complet.

La petite enfance

À trois ans, les enfants ont la peau très lisse et douce. C'est l'âge où ils commencent à se socialiser.

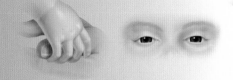

Grandir

C'est durant les deux premières années que le jeune enfant se développe le plus vite. Entre autres aptitudes, il apprend à marcher et à parler.

L'acquisition de nouvelles aptitudes

Arrivé à l'âge de cinq ans, l'enfant sait dessiner et peut-être même lire et écrire des mots simples.

Vers la maturité

À l'adolescence, le corps connaît des changements importants. C'est l'âge où l'on commence à penser par soi-même et à devenir responsable.

L'âge adulte

À vingt ans, la personne a atteint sa taille définitive. Elle est désormais adulte.

Le troisième âge

En vieillissant, la peau se ride, le corps s'affaiblit et les muscles s'atrophient.

À travers les âges

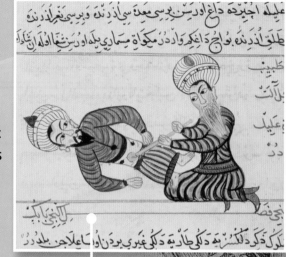

Au fil du temps, l'homme a appris à connaître son corps et la façon dont il fonctionne. Il a aussi progressé dans la connaissance des maladies et trouvé des moyens de plus en plus efficaces pour les prévenir et les guérir.

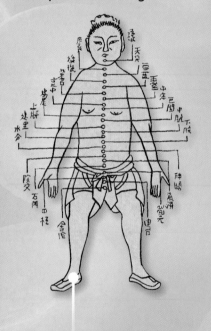

Les temps anciens

Il y a plus de 5 000 ans, des attelles étaient déjà utilisées pour soigner les fractures. En Chine, les médecins pratiquaient l'acupuncture.

L'Antiquité grecque et romaine

Hippocrate, qui vivait en Grèce, fut l'un des tout premiers à étudier le corps humain en détail.

La médecine arabe

Il y a environ 1 000 ans, les Arabes utilisaient des plantes médicinales et pratiquaient déjà des opérations chirurgicales.

Le Moyen Âge

Les sangsues sont employées pour aspirer la maladie hors du corps. Médecine et magie ont alors souvent partie liée.

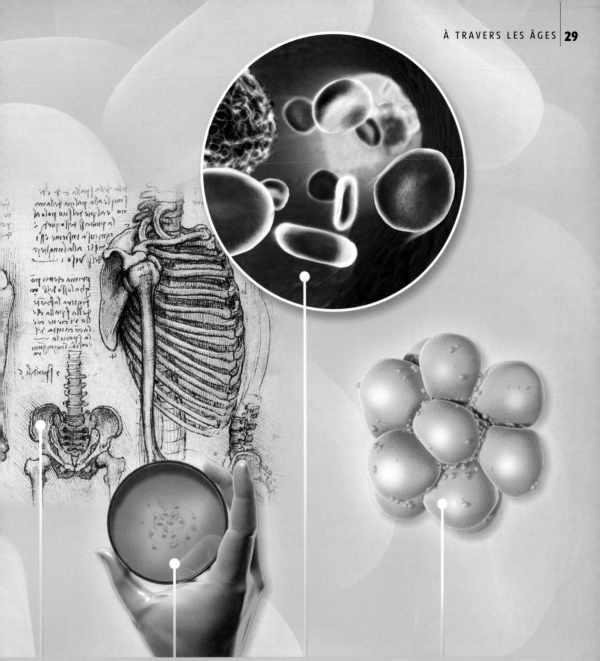

La Renaissance
À la fin du XVe siècle, les connaissances anatomiques ont bien progressé, grâce aux dissections et aux dessins faits ensuite.

Les XVIIIe et XIXe siècles
Premières vaccinations préventives. Le rôle des germes dans de nombreuses maladies est mis en évidence.

Le XXe siècle
Les antibiotiques sont utilisés pour lutter contre les bactéries. On pratique la greffe d'organe et la transfusion sanguine.

Les années 2000
Les chercheurs étudient la possibilité d'utiliser des cellules souches spécialisées pour soigner le cancer ou d'autres maladies.

Quiz

À quel mot de la colonne B correspond
la description de la colonne A ?

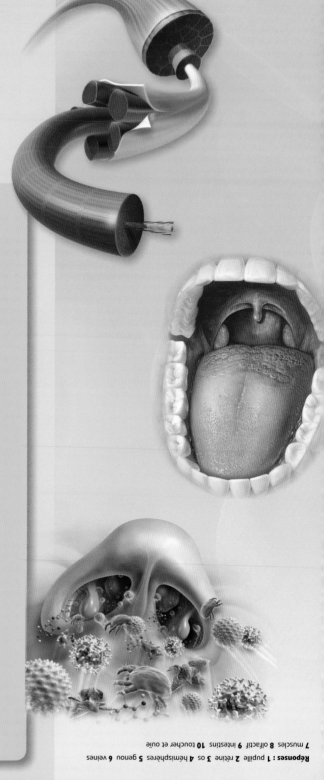

 A

 B

A	B
1 Par où la lumière pénètre dans l'œil	muscles
2 Zone au fond de l'œil où se projette la lumière	hémisphères
3 Élément du squelette	olfactif
4 Nom donné aux parties droite et gauche du cerveau	intestins
5 Où se trouve la rotule	os
6 Vaisseaux ramenant le sang au cœur	rétine
7 Permettent au corps de se mouvoir	toucher et ouïe
8 En lien avec l'odorat	veines
9 Les aliments s'y retrouvent au sortir de l'estomac	pupille
10 Deux de nos sens	genou

Réponses : 1 pupille **2** rétine **3** os **4** hémisphères **5** genou **6** veines **7** muscles **8** olfactif **9** intestins **10** toucher et ouïe

Glossaire

ADN
substance chimique constituant des chromosomes.

alvéoles
petits sacs pulmonaires au niveau desquels l'oxygène de l'air inspiré passe dans le sang.

artères
gros vaisseaux sanguins conduisant le sang vers les organes et les extrémités.

articulations
zones de contact entre deux os liés l'un à l'autre. La mobilité articulaire permet au corps de bouger.

bactéries
êtres vivants microscopiques composés d'une seule cellule. Certaines sont utiles à notre organisme, d'autres nocives.

chromosome
élément présent dans toutes les cellules animales ou végétales et dont la configuration détermine, par exemple, le sexe de l'individu et bien d'autres caractères.

cochlée
partie de l'oreille interne reliée au cerveau par un nerf qui transmet les signaux sonores.

embryon
premier stade de développement d'un être vivant.

fœtus
stade de développement intra-utérin succédant au stade embryonnaire.

gaz carbonique
déchet gazeux produit par l'activité des cellules.

intestin
long tube tortueux recevant les aliments après leur passage dans l'estomac.

muscles squelettiques
muscles attachés aux os.

oreillette
chambre supérieure du cœur, au nombre de deux, qui réceptionne le sang.

oxygène
gaz présent dans l'atmosphère, nécessaire aux cellules pour fonctionner.

pupille
partie de l'œil par où la lumière entre et se projette sur la rétine pour former des images.

rétine
membrane tapissant le fond de l'œil, sur laquelle se projette la lumière entrant par la pupille.

synapse
espace infime séparant deux neurones.

tympan
membrane tendue entre oreille externe et moyenne, vibrant sous l'action des ondes sonores.

veines
vaisseaux conduisant le sang des organes et des extrémités vers le cœur.

ventricule
chambre inférieure du cœur, au nombre de deux, d'où le sang est propulsé dans la circulation.

Index

Crédits et remerciements

Abréviations : hd = haut droite ; c = centre ; bg = bas gauche ; ap = arrière-plan
GI = Getty Images ; iS = istockphoto.com ; TF = Topfoto ; TPL = photolibrary.com

Intérieur : 18hd GI ; **20**bg TPL ; **28**hd GI ; c TPL ; **28–29**ap iS ; c TF ; **30–31**ap iS
Couverture : illustration © Weldon Owen Pty Ltd

Toutes les autres illustrations copyright © Weldon Owen Pty Ltd